风湿免疫病健康管理科普书系

御风集

2 痛风/高尿酸血症篇

古洁若　主编

广州和硕信息技术有限公司　编

献给病友、病友家属、照护人员

暨南大學出版社
JINAN UNIVERSITY PRESS

中国·广州

图书在版编目（CIP）数据

御风集：全三册 / 古洁若主编；广州和硕信息技术有限公司编. —广州：暨南大学出版社，2019. 6
（风湿免疫病健康管理科普书系）
ISBN 978 – 7 – 5668 – 2664 – 0

Ⅰ. ①御…　Ⅱ. ①古…　②广…　Ⅲ. ①风湿性疾病—防治　Ⅳ. ① R593. 2

中国版本图书馆 CIP 数据核字（2019）第 113780 号

御风集（第二册）

YU FENG JI（DIERCE）

主编：古洁若　编者：广州和硕信息技术有限公司

出 版 人： 徐义雄
责任编辑： 古碧卡　姚晓莉
责任校对： 苏　洁　林　琼
责任印制： 汤慧君　周一丹

出版发行： 暨南大学出版社（510630）
电　　话： 总编室（8620）85221601
营销部（8620）85225284　85228291　85228292（邮购）
传　　真：（8620）85221583（办公室）　85223774（营销部）
网　　址： http：//www.jnupress.com
排　　版： 广州尚文数码科技有限公司
印　　刷： 佛山市浩文彩色印刷有限公司
开　　本： 787mm × 1092mm　1/ 16
印　　张： 7. 25
字　　数： 114 千
版　　次： 2019 年 6 月第 1 版
印　　次： 2019 年 6 月第 1 次
总 定 价： 68. 00 元（全三册）

编 委 会

前　言

医务工作者肩负着将以“病人为中心”的医疗工作拓展至以“健康为中心”的责任，这过程中的科普教育是机遇和挑战并存的新任务，也是我们从医病至医身心的升华中必不可少的技能。作为一名风湿免疫学专业的医师，面对现实中普遍存在的缺医少药和严重的延误诊治现象，我们该如何做好专业医学知识的科普教育？探索的冲动促使我们编写了风湿免疫病健康管理科普书系。

风湿免疫病是一类常见和容易造成残疾、严重影响工作和生活的疾病，至今能达到病情稳定或达标治疗状态的人数比例仍然相当低。这与人们对风湿免疫病的知识缺乏有重要的关系。尤其在日常工作中，病友们在和医生沟通时表现出对疾病的一知半解，规范诊治的依从性或疾病的自我管理依旧有较多的欠缺。他们的家属、朋友更加缺乏疾病知识，也不知道如何去提供合适的帮助，在此，我们奉献出《御风集》，目的是把风湿免疫病的基本知识更大范围地传递给更多有需要的病友及其亲属们。

《御风集》通过简单易懂的文字和图片，介绍常见的风湿免疫病：强直性脊柱炎、痛风/高尿酸血症、类风湿关节炎，内容均是病友们最关切的问题，我们的解答基于医学和科学研究证据，查阅了多种不同的诊治或护理资料，分别从疾病病因、危险因素、诊断、治疗、自我评估、自我管理等多个方面展开。希望病人通过阅读书中内容，能对疾病的基本知识有更多的了解，从而更好地与医生沟通，做好自我管理，提高疾病的治疗水平。

因为篇幅有限，书中所涉及的疾病知识仍未涵盖全面，我们也将陆续编写系列丛书，病友们也可以访问我们的网站（www.phcn.gz.cn）进行更多的交流和学习。

本书能够顺利出版，得益于我的团队医务人员，学生，关心帮助我们的病友、家属们，以及医药学界朋友们的热情鼓励和帮助，在此表示衷心感谢。

中山大学附属第三医院风湿免疫科　古洁若

2019 年 5 月 16 日

目　录

第一章　什么是痛风

痛风（Gout）是一种由来已久的疾病，曾有“病中之王”“王者之病”的称号。早在公元前2640年，古埃及人就发现了痛风病人。因其与饮食不节和饮酒过度有关，古希腊医学家希波克拉底称其为“富人关节炎”。关于痛风的最早记录是17世纪科学家列文虎克绘制的痛风石图画；100年后沃拉斯顿证实从自己耳朵取出的“石头”实际上是一种单钠尿酸盐晶体，首次证明了痛风是一种晶体相关性疾病；19世纪时，“遗传代谢病之父”卡洛德（Garrod）首次发现痛风患者血尿酸水平升高这一现象，提出尿酸水平与痛风的发生密切相关。

痛风是一种常见的炎症性疾病，属于代谢性风湿病范畴，主要表现为尿酸盐结晶沉积于关节、软组织和肾脏引起关节炎、皮肤病变以及肾脏损害等症状，其主要表现为以下4点：

（1）高尿酸血症：在正常嘌呤饮食下，不同日期两次空腹血尿酸水平男性＞420μmol/L（7mg/dL），女性＞360μmol/L（6mg/dL）。

（2）反复发作的急性关节炎：常见部位有跖趾关节、膝关节、肘关节等。

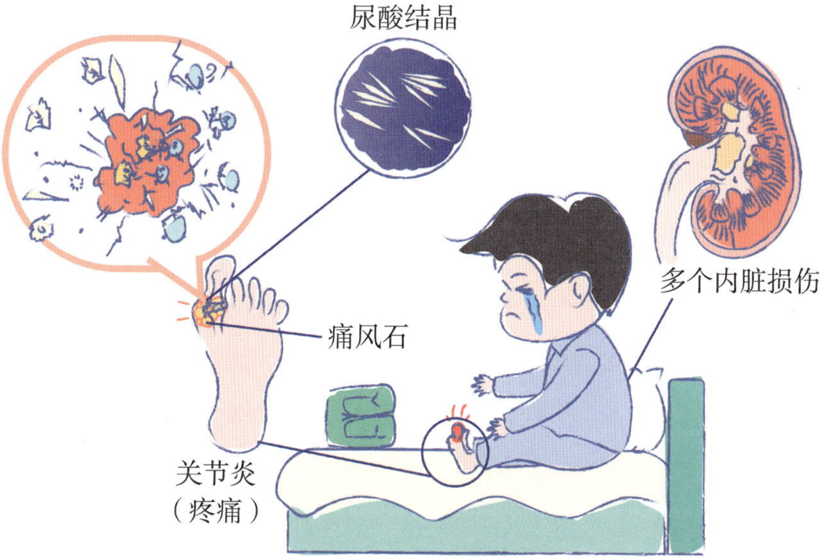

图1–1　什么是痛风

（3）痛风石：主要是沉积于皮下软组织、骨骼、软骨等的晶体集合体，可引起皮肤破溃、疼痛以及关节畸形。

（4）肾脏病变：包括间质性肾病、尿酸性尿石症，严重时可引起肾衰竭。

一、为什么会患上痛风

痛风发生的基础是高尿酸血症，其多由嘌呤代谢或尿酸排泄异常引起。在37℃的生理盐水中尿酸盐的溶解度约为416μmol/L，浓度超过416μmol/L则尿酸盐过度饱和，可以析出变成结晶，并沉积于关节等组织中。尿酸盐溶解度随温度降低而降低。正常关节的温度低于血液温度，所以在关节中尿酸盐浓度低于416μmol/L也有可能析出晶体，这些晶体可以刺激细胞产生炎症，从而导致关节炎的发生。另外，皮下软组织因接近体表，温度较低，也是尿酸盐常见沉积部位。

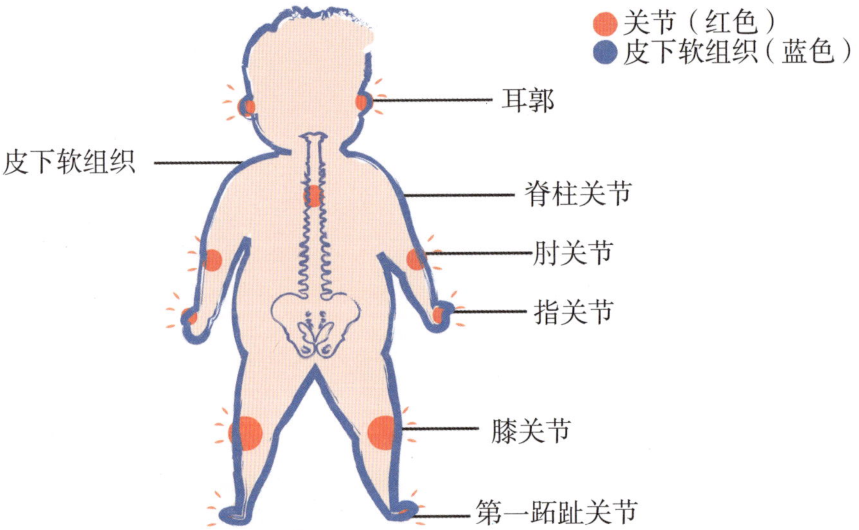

图1-2　常见的尿酸结晶沉积部位

要了解痛风，就必须了解人体尿酸的代谢过程。可把人体比作一个池子，里面装满了泥浆一样的尿酸，池子分别有四根管子：第一根管子是正常代谢产生的尿酸运送管；第二根管子是饮食摄入所产生的尿酸运送管，上述两根管子是尿酸的两个来源，分别占80%和20%，这两根管子源源不断地把尿酸输入池子里。第三根管子是肾脏排泄尿酸的管子，这是体内尿酸排泄的主要途径；

第四根管子是胃肠道，这两根管子分别占尿酸排泄的 66.7% 和 33.3%。如果前两根管子的尿酸输入量超过后面两根管子的尿酸排出量，尿酸就会在池子里不断蓄积。随着尿酸浓度升高达到饱和，池里的泥浆——尿酸就会结晶沉淀，存在于患者组织或关节中，吸引白细胞细胞聚集，企图消灭、吃掉这些尿酸，在这场尿酸和细胞的战役中，两方交战，难免擦枪走火、引起炎症，出现关节的发红、肿胀和疼痛，从而引起痛风。这些结晶也可能在人体肾脏沉淀，形成结石堵塞人体肾脏排泄通道，造成肾功能损害，反过来影响患者肾脏排泄尿酸的能力，导致恶性循环。

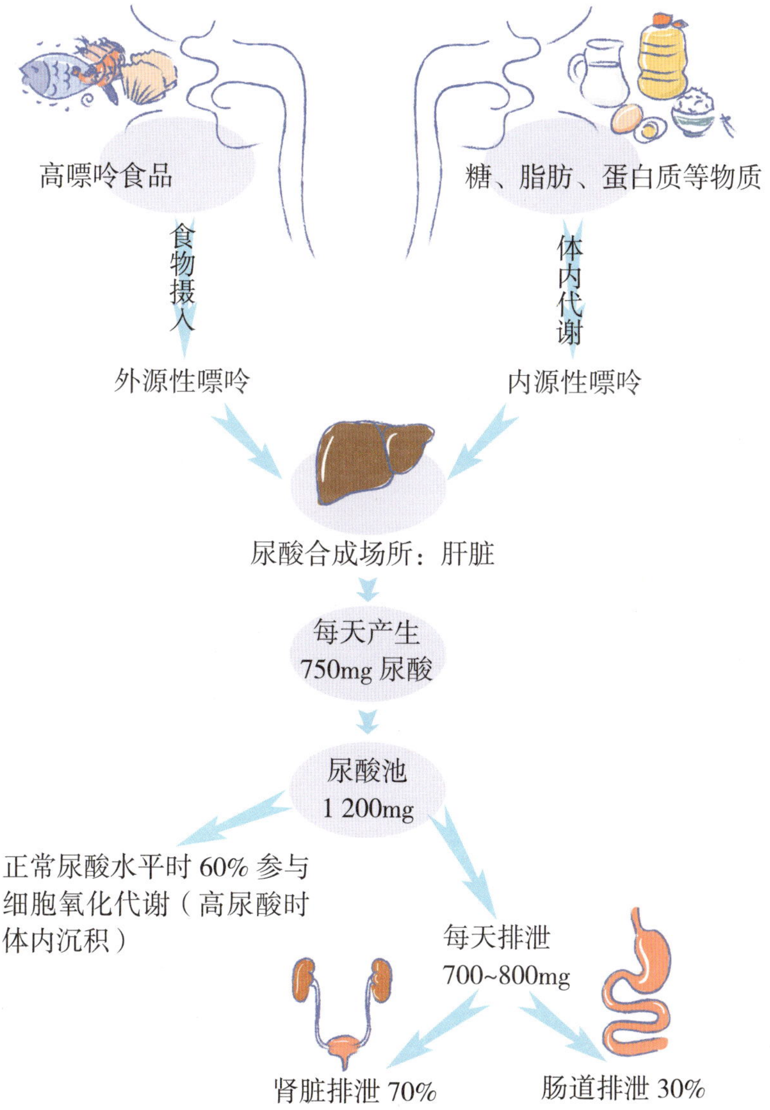

图 1–3　尿酸在人体内的代谢过程

二、什么人更容易患上痛风

流行病学调查显示，痛风患病率为 1% ~ 15.3%，中老年男性是痛风的高发人群，随着年龄增长，痛风发病率逐渐增高。据报道，我国共有 8 000 万痛风及高尿酸血症患者，患病率为 1% ~ 3%，并呈逐年上升和年轻化的趋势。除了遗传因素影响之外，这还与人们的生活方式和饮食结构改变息息相关：饮酒、食用高嘌呤食物、肥胖、高血压、高脂血症等都是痛风的危险因素。

（1）饮酒：大量病例对照研究发现，饮酒过度的人群痛风发病率明显高于不饮酒的人群，这主要与酒精能够增加尿酸生成和减少尿酸排泄有关；饮酒量与痛风的发生密切相关。有研究认为，饮用啤酒导致的痛风发病风险比饮用烈酒更高，主要是啤酒含有较多的鸟嘌呤导致尿酸生成增多；适量饮用红酒对痛风的发生影响不大，但也有人认为痛风的发生与酒的种类无关。

（2）食用高嘌呤食物：嘌呤的代谢产物是尿酸，因此食用高嘌呤食物，如海鲜、红肉等会引起尿酸生成增多，从而诱发痛风急性关节炎发作。

（3）食用高果糖食物：高果糖食物主要是指添加甜味剂，如玉米糖浆等一类的食物。经常食用这类食物，会导致尿酸生成增多，另外果糖的其他代谢产物也会抑制尿酸排泄。

（4）代谢综合征：大量观察性研究表明，患有代谢综合征的患者，如糖尿病、高血压、高脂血症等，也是痛风的高发人群，主要与胰岛素抵抗有关。

（5）遗传因素：大量全基因组关联研究表明，痛风是一种多基因病，有痛风家族史的患者发生痛风的风险更高。

（6）高尿酸血症：流行病学调查显示，高尿酸血症是痛风的主要危险因素。高尿酸血症患者更是痛风的高危人群。尿酸水平≥ 9mg/dL，痛风患病率为 4.9%；尿酸水平介于 7 ~ 8.9mg/dL，患病率为 0.5%；尿酸水平＜ 7mg/dL，年发病率为 0.1%。尿酸水平超过 9mg/dL，痛风 5 年后累积发病率可达到 22%。因此，降尿酸治疗是痛风治疗的重中之重。

第二章　什么是高尿酸血症

一些“健康”人明明没有什么事，却在医院或者体检中心体检时被告知尿酸偏高或者患有高尿酸血症。相信很多人都心中存疑：什么是高尿酸血症？尿酸超过多少就算高？高尿酸血症对健康有影响吗？下面将为大家一一解答。

一、高尿酸血症

高尿酸血症（Hyperuricemia），顾名思义，即血液中尿酸水平过高，是指在正常嘌呤饮食下，非同日两次空腹血尿酸水平男性＞420μmol/L（7mg/dL），女性＞360μmol/L（6mg/dL）。流行病学调查显示，不同人群高尿酸血症的患病率不同，为2.6%～47.2%，呈逐年上升和年轻化趋势。有相当一部分高尿酸血症患者终生不出现痛风性关节炎、痛风石等明显症状，这部分患者被称为无症状高尿酸血症患者。

二、为什么会得高尿酸血症

高尿酸血症可分为原发性和继发性两种。原发性高尿酸血症，多由先天性嘌呤代谢酶缺陷引起，常与肥胖、高血压、糖尿病、冠心病等代谢疾病伴随发生，主要是由遗传因素和环境因素共同导致的。继发性高尿酸血症是由原有系统疾病如肾脏病变、骨髓瘤（导致尿酸增多），或者药物如利尿剂（抑制尿酸排泄）引起的。高尿酸血症在排除其他疾病和药物影响之后，方可诊断为原发性高尿酸血症。

尽管病因未明，但大量调查研究表明，过量的酒精摄入、肥胖、食用高嘌呤食物（海鲜等）、食用高果糖食物、高血压、糖尿病等都是高尿酸血症的危险因素。肥胖、喜饮酒、平时大鱼大肉等人群都是高尿酸血症的高发人群。

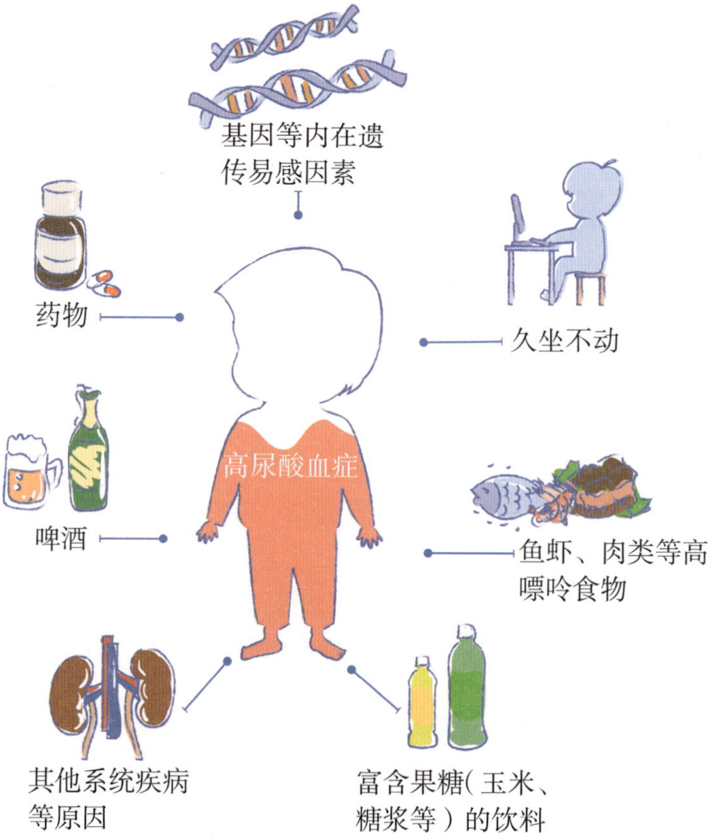

图 2-1　高尿酸血症的诱发因素

三、高尿酸血症对健康有影响吗

尿酸是人体嘌呤代谢的产物。正常饮食状态下，大约 80% 的尿酸来源于体内代谢，20% 来源于饮食摄入，主要通过肾脏排泄。当体内尿酸生成较多，超过肾脏排泄的上限，或者肾脏尿酸排泄能力较差时，尿酸在体内蓄积，形成高尿酸血症。高尿酸血症的危害不容忽视，它是痛风、肾脏病、心血管疾病的危险因素，是痛风发生的最主要因素。随着尿酸水平升高，痛风的发病风险也随之增高。尿酸水平超过 9mg/dL 的患者，5 年后痛风累积发病率可达到 22%。另外，长期高尿酸血症会致使尿酸结晶在肾脏沉积，导致肾小管损伤，引起血尿、蛋白尿、肾功能损害，严重可导致肾衰竭。此外，高尿酸血症与心血管疾病、糖尿病等的发病风险升高都密切相关。

高尿酸血症与多种神经系统疾病相关。高尿酸血症可增加缺血性脑卒中的发生风险，并加重脑卒中的后果。不过也有研究表明：在神经退行性疾病，如阿尔茨海默病和帕金森病等疾病中，一定浓度的血尿酸具有保护作用。所以，血尿酸并非越低越好。

四、高尿酸血症一定会进展为痛风吗

痛风的发病基础是高尿酸血症，高尿酸血症也是痛风的最主要危险因素，但是高尿酸血症不是痛风发生的充分条件，即高尿酸血症不一定会进展为痛风，有相当一部分高尿酸血症患者可终身不出现关节炎、痛风石等明显症状。研究表明，仅有 33.3% 的高尿酸血症患者发展为痛风患者。基因研究表明，痛风的致病基因除了常见的影响尿酸水平的基因，如 ABCG2、SLC2A7 等之外，还有其他基因，如炎症基因在发挥作用。可见高尿酸血症是痛风发生的必要条件，但不是充分条件，还有其他因素参与其中。

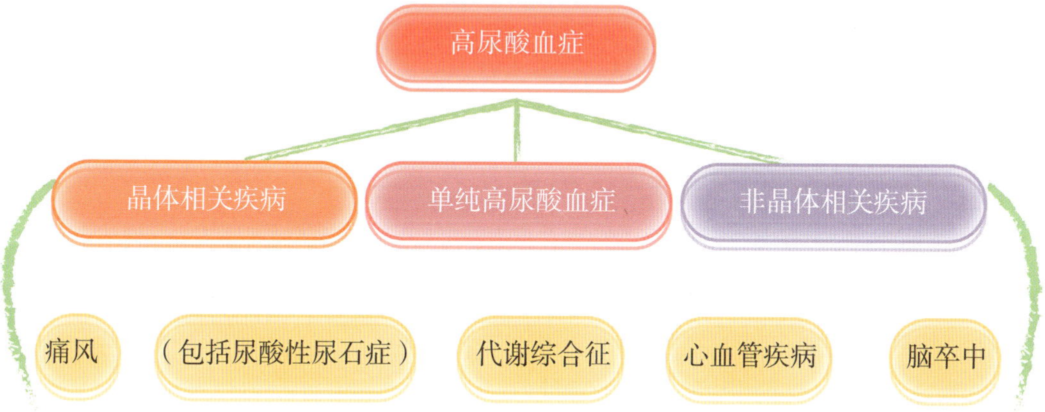

图 2-2　高尿酸血症与痛风的关系图

第三章　怎么确定自己是否患有痛风

痛风在我们生活中十分常见，严重影响我们的健康，因此了解痛风的诊断是很重要的。怎样才能确定我们是否患有痛风呢？

如果突然出现关节剧痛，应当先确认是否有以下情况：

（1）起病急：午夜或清晨起病，数小时内出现受累关节的红、肿、热、痛和功能障碍，如不能穿鞋、走路等。

（2）可能有诱因：多在饮酒、进食高嘌呤食物、受寒、劳累等情况下发生。

（3）自限性：首次发作后大多可于数天至 2 周内自行缓解。

（4）既往史：以前可能有类似发作，家族中可能有类似患者。

（5）单关节炎：常见部位为第 1 跖趾关节、踝关节、膝关节、肘关节等，多为单侧发作。

如果与上述情况大致相符，那么你很可能处于痛风性关节炎急性发作期，应尽快到风湿免疫科、内分泌科等内科诊室挂号看病，完善相关检查，明确诊断。

如果就诊，需要做哪些检查才能确诊为痛风？

1. 血尿酸检查

正常成年男性血尿酸值（SUA）为 208 ~ 416μmol/L（3.5 ~ 7.0mg/dL），女性为 149 ~ 358μmol/L（2.5 ~ 6.0mg/dL），绝经后接近男性。如果男性＞420μmol/L，女性＞360μmol/L 则认为尿酸水平异常升高。

抽血时应当注意：

（1）抽血 5 天前应尽量停用影响尿酸排泄的药物，如利尿剂、降压药、水杨酸类药物，如检查期间正在服用上述药物，应如实告知医生；抽血前一天应正常嘌呤饮食，避免高嘌呤食物摄入和饮酒；抽血前避免剧烈运动。

（2）抽血最好在清晨空腹状态下进行。

（3）血尿酸存在较大波动，应当反复测量，至少应当在不同日期测量 2 次以上。

（4）即使血尿酸水平正常，也不能排除痛风，因为部分患者急性发作期血尿酸处于正常水平。

2. 排尿酸检查

限制嘌呤饮食 5 天后，如果尿酸排泄量＞ 750mg/d，则认为尿酸生成增多；若尿酸排泄量＜ 600mg/d，则认为尿酸排泄功能下降。肾脏尿酸排泄功能的检查有助于降尿酸治疗用药的选择。

尿液检查应当注意：

（1）有肾功能减退、结石引起的尿路梗阻、大量肾盂积水、尿潴留等情况的患者不推荐做 24h 尿酸定量检查。

（2）应准确留取 24h 的尿量，留尿的容器应放防腐剂。

（3）留尿前 5 日低嘌呤饮食，同时停用影响尿酸排泄的药物；留尿前 1 天应避免饮酒、剧烈运动等。

（4）留尿期间应多饮水，如出现腹泻、呕吐等脱水情况或者发热、感染等情况时，应当告知医生，改期进行。

3. 关节液或痛风石内容物检查

可在偏振光显微镜下看到双折光的针型尿酸盐结晶，急性关节炎期阳性率可达 95%，是痛风诊断的“金标准”。

4. X 线检查

急性关节炎期可见到软组织肿胀；慢性期或者反复发作期可看到软骨缘破坏、骨质缺损等现象。

5. 双能量 CT 检查

在受累部位可见到不均匀的高密度痛风石影像。

一般来说，高尿酸血症伴有特征性关节炎、尿路结石或肾绞痛时，应当警惕痛风可能，但真正确诊痛风必须要取得尿酸盐结晶作为证据。无论是急性关节炎发作还是体检发现血尿酸水平增高，都应尽早到医院完善相关检查，早诊断，早治疗。

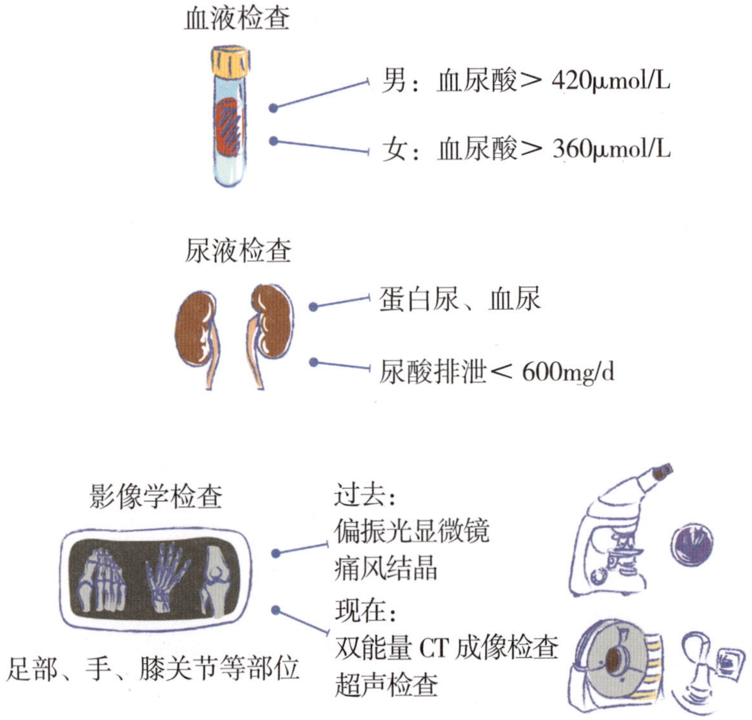
血液检查
男：血尿酸＞ 420μmol/L
女：血尿酸＞ 360μmol/L
尿液检查
蛋白尿、血尿
尿酸排泄＜ 600mg/d
影像学检查
足部、手、膝关节等部位
过去：
偏振光显微镜
痛风结晶
现在：
双能量 CT 成像检查
超声检查

痛风的诊断

第四章　如何评估自己的痛风

痛风有多痛，恐怕只有患痛风的人才能体会，外人难以想象。痛风所需要承受的不仅仅是肉体上的疼痛；眼睁睁看着患处的肿胀一天天变大，患病肢体一天天变形、僵化、麻木，患病部位越来越多，这一切在无形中造成的心理压力，外人也难以理解。因痛风产生的焦虑、抑郁等不良情绪也不利于康复。因此，正确认识疾病并做好自我评估和管理十分重要。

一、痛风的四个阶段

首先应当正确认识痛风。

痛风，是一种慢性进行性疾病，如不对其采取措施，可能会导致严重后果，但它并不是“不治之症”，它的“不治”往往都是患者依从性差，未能长期坚持降尿酸治疗造成的。认识痛风的四个阶段，才能了解每个阶段治疗的意义。

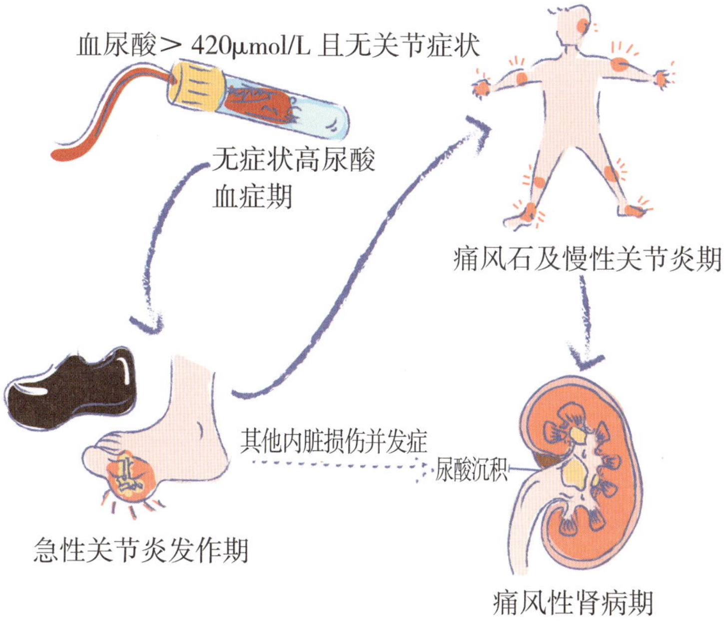

痛风的四个阶段

第一阶段：无症状高尿酸血症期。

本阶段患者除血尿酸高外，未出现痛风的临床症状，如关节炎、痛风石、肾功能减退等。

第二阶段：急性关节炎发作期。

本阶段患者血尿酸持续增高，在关节腔内结晶沉积形成刺激，引起关节出现疼痛、肿胀、僵硬、屈伸不利等炎症表现，一般持续 3 ~ 12 天后可自行缓解。患者多在饮酒、进食大量海鲜、受寒、疲劳或者剧烈运动后发病。

第三阶段：痛风石及慢性关节炎期。

本阶段患者在全身各处皮下软组织可见多个结节——痛风石，刺激皮肤，使皮肤红肿热痛，皮肤破溃时还可见黄色晶体。另外，尿酸石结晶还可在关节处长期沉积，引起慢性关节炎，疼痛反复发作，患处增多，原患处严重变形，无法屈伸。

第四阶段：痛风性肾病期。

患者关节畸形及功能障碍日益严重，尿酸盐结晶不断沉积，在肾脏形成结石，引起尿路梗阻，或导致间质性肾病，最终导致肾功能明显减退，甚至肾衰竭。

在急性关节炎发作期，应首先考虑服用秋水仙碱、非甾体抗炎药、糖皮质激素等控制发作，待症状缓解后开始用降尿酸药物；在痛风石及慢性关节炎期、痛风性肾病期则应坚持进行降尿酸治疗，将尿酸维持在低水平，可使痛风石溶解，从而减少关节炎发作和肾功能损伤。

无症状高尿酸血症患者，如合并心血管疾病高危因素，且血尿酸水平＞8mg/dL，或无心血管疾病高危因素但血尿酸水平＞9mg/dL，应根据个体情况服用降尿酸药物；其余无症状高尿酸血症患者应通过调整生活方式和饮食结构等控制血尿酸水平。

二、评估方法

日常生活中，我们应该如何自我管理和评估痛风严重程度呢？一般通过以下几个方面进行自我评估：

1. 血尿酸水平

血尿酸水平是降尿酸治疗随访过程中的主要观察指标，美国风湿病学会（ACR）和欧洲抗风湿联盟（EULAR）都推荐尿酸治疗目标值是＜6mg/dL；如有痛风石，推荐将尿酸控制在5mg/dL以下。因此，定期检测血尿酸值不仅是医生进行治疗的重要依据，也是患者应当关心的问题。有调查显示，理想血尿酸水平的患者知晓率达到72%，但懂得降尿酸治疗需要长期维持的患者却少之又少。那么多久应当复查一次血尿酸值呢？ACR指南推荐血尿酸达标之前每2～5周检测1次，达标后无论是否有症状均须每6个月检测1次。

2. 痛风急性发作的频率

痛风关节炎急性发作是关节内尿酸盐的结晶沉积刺激关节组织引发的急性炎症，其发作频率在一定程度上可以间接反映患者尿酸水平。研究证明，痛风急性发作的频率与血尿酸水平呈正相关关系。有研究表示，当血尿酸控制在6mg/dL以下时，急性发作的频率明显减少。患者通过自我评估急性发作频率可以间接了解自己病情近期的进展。

3. 痛风石数量、大小

痛风石数量也是间接反映患者血尿酸水平的一个指标。痛风石实际是机体对尿酸盐结晶这一异体产生的慢性炎症反应。研究证明，长期维持低尿酸水平，痛风石可以自行溶解。一般痛风石溶解所需的降尿酸治疗平均时间为20.8±10.2月，而且尿酸水平越低，痛风石溶解越快。因此患者可以通过观察皮下痛风石的数量和大小判断近期尿酸水平，如果痛风石增多或者增大，就应当引起注意。

4. 肾功能

肾功能是降尿酸治疗的重要监测指标：一方面尿酸盐结晶在肾间质沉积，造成肾小管损伤等，引起肾功能减退；另一方面临床医生需要根据患者的肾功能有针对性地选择不同的降尿酸药物：如肾功能正常可选择促排尿酸的药物；如肾功能不全，则宜选择抑制尿酸生成的药物如别嘌醇等。尽管肾功能相关检查只能在医院临床实验室中完成，但是患者可以多关注自身的排尿情况，如是否有泡沫尿、酱油尿、结晶尿，夜尿是否增多，尿量是否减少等，以此初步判断自身肾功能情况。如有上述相关情况应当提高警惕，咨询专科医生。

5. 血脂、血压和血糖等

如合并有高血脂、冠心病、高血压、糖尿病等疾病，在进行痛风治疗的同时应当定期监测血脂、血压和血糖等生化指标。因高尿酸血症是上述疾病的危险因素之一，尚未合并这些疾病的患者，也不应掉以轻心，也应当定期监测，早预防、早发现、早治疗。

总而言之，降尿酸治疗是痛风治疗的重中之重。痛风是一种需要长期治疗的慢性病，切不能因为没有症状、不痛就不吃药，这也是大多数痛风患者常见的错误观点。患者应该正确认识评估自己的疾病状态，并遵照医嘱进行治疗，这样才能减少痛风的急性发作和延缓痛风进展。

第五章　如果患有痛风，是否更容易出现其他疾病

很多患者都会问：如果患有痛风，是不是更容易出现其他疾病？答案是肯定的。痛风不仅仅是“痛”，背后作祟的是高尿酸血症。不能将痛风简单定义为一种急性关节炎，应当更重视高尿酸血症对全身各器官、系统造成的损害，重视高尿酸血症相关的疾病，这些疾病的合并出现也给痛风治疗带来了挑战。

英国一项流行病学调查研究表明，通过校正年龄、性别等因素之后，与骨关节炎患者相比，痛风患者更容易罹患心血管疾病、高血压、糖尿病及慢性肾功能不全等疾病。美国国家健康营养调查（NAHES）发现，痛风患者中 74% 患有高血压，71% 患有 2 期以上慢性肾病，53% 的人为肥胖，26% 伴随糖尿病，24% 伴随尿石症，14% 患有心肌梗死，11% 患有心功能不全，10% 经历过脑卒中，这些病的患病率都明显高于非痛风人群；而且，随着尿酸水平的升高，这些疾病的患病率也随之增高。

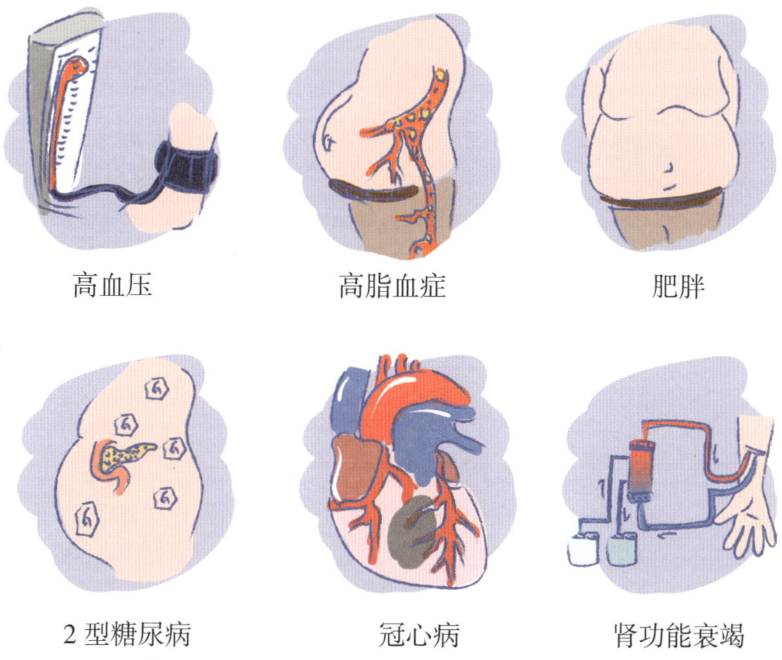

痛风常见并发症

1. 肥胖

美国 NAHES 调查显示，痛风患者腹型肥胖患病率比非痛风患者更高（62.9% VS 35.3%）。另外有前瞻研究表明，肥胖患者的痛风发病风险升高，体重指数（BMI）和腰围与高尿酸血症有一定关联性。

2. 肾脏疾病

当血尿酸水平长期处于高浓度时，尿酸结晶会在肾小管沉积，引起间质性肾病，导致肾功能损害，严重可导致肾衰竭。2014 年的一篇荟萃分析表明，高尿酸血症患者新发慢性肾病的风险比正常人群增加 1.14 ~ 2.13 倍。另外有研究表明，高尿酸血症与慢性肾病的全因死亡率增加相关；同时，慢性肾病也是痛风的高危因素，两者形成恶性循环，加重肾功能损害。

3. 心血管疾病

多种心源性疾病与痛风独立相关。大型人群队列研究表明，痛风人群的主要死因为心血管疾病。2016 年对高血压患者的荟萃分析表明，高尿酸血症与心血管疾病的发生及全因死亡率相关。一项前瞻性研究显示，高尿酸血症与糖尿病患者的心源性死亡率升高相关。

4. 糖尿病

美国国家健康营养调查显示，痛风患者糖尿病患病率较非痛风患者高 1.36 倍，这可能与胰岛素抵抗机制相关。有前瞻研究表明，痛风增加了糖尿病的发病风险；但 2 型糖尿病患者的痛风发病率反而较低，主要与高糖血症促进肾脏排泄尿酸以及服用二甲双胍相关。

痛风常与高脂血症、糖尿病，以及心血管疾病如冠心病、高血压等共同出现。痛风患者同时也是高血压、糖尿病、心血管疾病等疾病的“青睐者”。因此患者在治疗痛风的同时，也应对血脂、血糖、血压等指标多加关注，早预防、早发现、早治疗。ACR/EULAR 痛风指南推荐，在进行痛风治疗之前，应当对高血压、糖尿病、心血管疾病等常见并发症进行筛查，特别是肾脏疾病。因为肾功能是否受损，将影响降尿酸药物的选择。另外，高血压、心衰等疾病常用的利尿剂会引起尿酸升高，因此痛风合并高血压、心衰等疾病时应当根据个体情况选择最合适的治疗方案。

第六章　痛风将如何影响我们的生活质量

仅在检查时发现血尿酸升高，没有痛风发生，在没有合并其他疾病的情况下，并不会影响我们的工作和生活。痛风，特别是急性关节炎发作期，将对我们的工作和生活造成困扰。

痛风主要在以下方面影响我们的工作和生活：

急性关节炎发作期的关节肿痛，常在夜间突发，导致无法继续入睡，睡眠不足导致第二天的精神状态差，注意力无法集中。部分病人口服糖皮质激素或消炎止痛药后，疼痛无法立刻缓解，也会对睡眠产生持续性的影响，甚至在白天工作中，因疼痛不能有效控制，工作时难以集中注意力。累及肘关节、指关节等上肢关节的痛风，将影响日常洗漱活动、书写工作。累及膝关节、踝关节等下肢关节，可影响行走，对于体力工作者而言可能无法完成工作，需要休假。足趾关节受累的患者无法适应鞋子，也影响到日常工作与生活。

痛风进入痛风石及慢性关节炎期，如果没有关节变形、痛风石、其他脏器受累，则对生活无明显影响，患者不会有不适或不便利。如痛风长期反复发作并造成关节畸形，导致关节活动度降低，尽管没有疼痛症状，但关节受限仍会影响日常生活和工作，如手关节受累无法顺利完成精细动作；踝关节、膝关节受累造成姿势异常、步态不稳。

若有较多的痛风石，则会影响美观。痛风石破溃时，容易引起皮肤损伤、感染，破溃部位皮肤愈合不良；若感染控制不及时，可导致全身感染。因此，若出现痛风石破溃，应及时到医院就诊处理伤口，防止进一步感染。

痛风反复发作影响生活和工作质量，并可引起焦虑、抑郁等精神心理问题；而精神心理问题，可能影响患者就诊的依从性、规律性，导致生活习惯改变、职业倦怠，产生恶性循环，影响患者的工作与生活。

此外，痛风引起的相关并发症，如痛风性肾病、肾衰竭、冠心病等以及痛风治疗药物的副作用，如食欲变差、腹泻等，也会影响患者的工作与生活。

得了痛风是不是在家休假为宜？急性关节炎发作期，可适度增加休息时间。当疾病得到控制后建议继续积极参与工作。工作一方面是经济来源，同时也可以提高社会参与感、自我成就感。

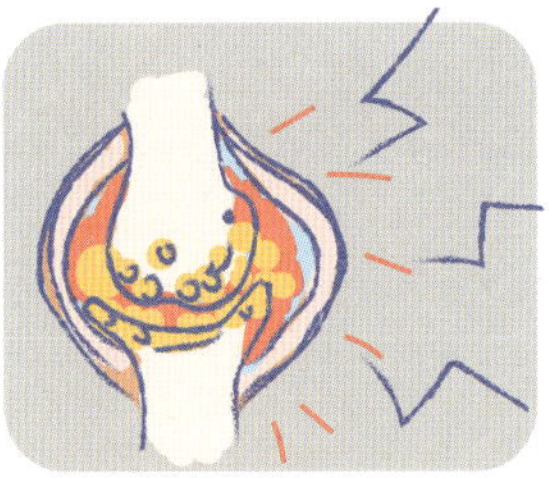

关节炎（疼痛）

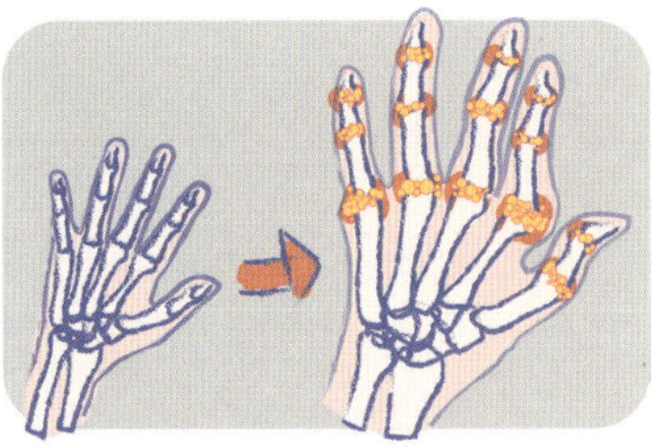

关节畸形（痛风石）

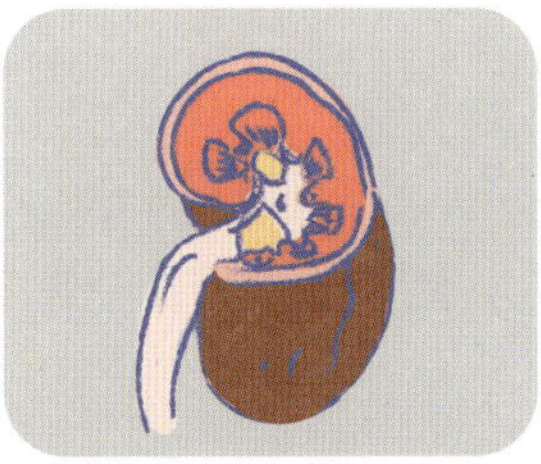

多个脏器损害

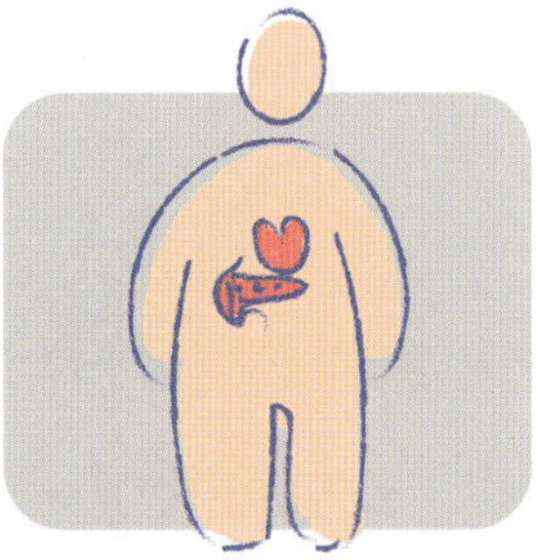

伴发其他疾病（肥胖、心血管疾病等）

痛风影响患者的生活质量

第七章　痛风患者应当如何运动

运动是健康生活的一部分，也是痛风患者日常活动之一。运动对痛风患者有多种益处。

（1）消耗热量，增强体脂代谢，有利于保持正常体重。超重是痛风的危险因素之一，因此适度运动可以预防痛风发作。

（2）适度运动可以提高心肺功能，减缓痛风相关并发症的进展。

（3）适度运动可以减缓关节疼痛、防止关节挛缩及肌肉失用性萎缩。

那么痛风患者运动的时机、强度、频率有何要求？

一般来说，要根据每个人的体质状况、基础疾病因人而异地制订运动方案。

痛风患者运动一般应遵循下列原则：

（1）痛风急性期以休息为主，中断锻炼，以利于炎症的消退。

（2）痛风患者运动应从低强度开始，逐步过渡至中等强度，避免剧烈运动。剧烈运动使出汗增加，血容量、肾血流量减少，尿酸排泄减少，甚至会诱发痛风发作。

（3）运动次数以每周 4 ~ 5 次，每次 0.5 ~ 1h 为宜，可采取有氧运动，如慢跑、打太极拳等。

痛风急性发作的患者，可用冰袋冰敷红肿的关节进行缓解

图 7–1　痛风急性发作推荐冰敷

（4）运动期间或运动后，应补充适量水分，促进尿酸排泄。应避免快速大量饮水，以免加重身体负担。另外，运动后应避免洗冷水澡，因为低温容易诱发痛风急性发作。

（5）对于有心血管、肺部基础疾病者，应适度降低运动强度和时间。

图 7–2　中等强度运动推荐

图 7–3　避免剧烈运动

第八章　痛风患者应当吃什么，不吃什么

国家卫生健康委员会于 2017 年 8 月发布了“高尿酸血症与痛风患者膳食指导”，该指导手册规定了高尿酸血症及痛风患者膳食指导原则、目标、能量及营养素推荐摄入量。我们将以该指导手册为基础，结合国内外相关研究，提出未合并肾功能不全的痛风 / 高尿酸血症患者的膳食建议和注意事项。

一、膳食指导的目标与原则

目标：通过医学营养治疗，减少外源性嘌呤摄入，减轻血尿酸负荷，降低痛风发生的风险或减少痛风急性发作的次数；延缓相关并发症的发生与发展；促进并维持机体适宜的营养状态，预防及配合治疗相关疾病，改善临床结局。

原则：基于个体化原则，建立合理的饮食习惯及良好的生活方式，限制高嘌呤动物性食物（常见食物嘌呤含量详见附录），控制能量及营养素供能比例，保持健康体重，配合规律降尿酸药物治疗，并定期监测随诊。

二、饮食注意

动物内脏、贝类和虾类等高嘌呤食物
（建议食用时监测血尿酸）

图 8-1　建议少食用的食物

牛羊猪肉、鱼类、酒类和高果糖果汁
（建议食用时不要过量）

图 8-2　建议限制食量的食物

低脂奶、蛋类、蔬菜、谷物、茶和咖啡等低嘌呤食物

图 8-3 建议多选择的食物

樱桃、柠檬、咖啡和维生素 C 等

图 8-4 有助于减少痛风发作的食物

表 8-1 饮食注意

建议避免的食物	①肝脏和肾脏等动物内脏 ②贝类、牡蛎和龙虾等带甲壳的海产品 ③浓肉汤和肉汁等 ④对于急性痛风发作、药物控制不佳或慢性痛风石性关节炎的患者，应禁用含酒精饮料
建议限制食用的食物	①嘌呤含量高的动物性食品，如牛肉、羊肉、猪肉等 ②鱼类食品 ③含较多果糖和蔗糖的食品 ④各种含酒精饮料，尤其是啤酒和蒸馏酒（白酒）。总体饮酒量男性不宜超过 2 个酒精单位 / 日，女性不宜超过 1 个酒精单位 / 日（1 个酒精单位约合 14g 纯酒精）。1 个酒精单位相当于度数 12% 的红葡萄酒 145mL，度数 3.5% 的啤酒 497mL，度数 40% 的蒸馏酒 43mL
建议选择的食物	①脱脂或低脂乳类及其制品，每日 300mL ②鸡蛋每日 1 个 ③足量的新鲜蔬菜，每日应达到 500g 或更多 ④鼓励摄入低 GI 的谷类食物（低 GI 的食物是指血糖生成指数低的食物，食物进入肠道后停留的时间长，释放缓慢，葡萄糖进入血液后峰值较低，餐后血糖反应较小，避免了血糖剧烈波动） ⑤充足饮水（包括茶水和咖啡等），每日至少 2 000mL
可减少痛风发作的食物	①樱桃 ②富含维生素 C 的蔬果，如柠檬、枣、萝卜等 ③咖啡 ④膳食纤维、叶酸 ⑤有研究表示上述食物有降低痛风发作的作用，但无法代替药物治疗，仅为辅助食物，不宜过度食用

三、体重管理及能量摄入分配

超重或肥胖的患者应缓慢减重达到并维持正常体重。采用体重指数（BMI）判定体重状况，其标准为：BMI＜$18.5kg/m^2$为体重过低，18.5≤BMI＜$24.0kg/m^2$为体重正常，24.0≤BMI＜$28.0kg/m^2$为超重，BMI≥$28.0kg/m^2$为肥胖。（备注：BMI计算公式为体重（kg）÷身高^2（m^2）。如50kg的患者，身高1.7m，则他的BMI=50÷1.7^2=17.3，属于体重过低）

摄入能量以达到并维持正常体重为标准。根据患者性别、年龄、身高、体重和体力活动等估计能量需求。

表8-2　各类人群能量摄入建议

轻体力活动水平	中体力活动水平	重体力活动水平
①正常体重者每日给予25～30kcal/kg能量 ②体重过低者每日给予35kcal/kg能量 ③超重/肥胖者每日给予20～25kcal/kg能量	①正常体重者每日给予30～35kcal/kg能量 ②体重过低者每日给予40kcal/kg能量 ③超重/肥胖者每日给予30kcal/kg能量	①正常体重者每日给予40kcal/kg能量 ②体重过低者每日给予45～50kcal/kg能量 ③超重/肥胖者每日给予35kcal/kg能量

表8-3　每日膳食营养成分搭配建议

碳水化合物	蛋白质	脂肪
①碳水化合物提供的能量占总能量的50%～60% ②应限制添加糖摄入 ③宜选择低GI食物 ④鼓励全谷物食物占全日主食量的30%以上 ⑤全天膳食纤维摄入量达到25～30g	①蛋白质的膳食摄入量为1g（kg·d） ②提供的能量占总能量的10%～20% ③食物来源推荐奶制品和蛋类	①脂肪提供的能量占全天总能量的20%～30% ②合并肥胖或代谢综合征者应严格限制每日脂肪摄入，总量占全天总能量不超过25%，且饱和脂肪酸占全天总能量不超过10%

痛风 / 高尿酸血症患者的膳食调整是治疗手段之一，通过药物、膳食调整以达到临床症状完全消失，并慢慢消除既往体内囤积的尿酸盐，该过程通常需要数月到数年的时间。当临床症状完全消失之后，我们依然强调继续保持良好的膳食习惯，以助于将尿酸维持在正常浓度范围。

第九章　高尿酸血症患者没有症状，也需要治疗吗

高尿酸血症是指在正常嘌呤饮食下，不同日期两次空腹血尿酸水平男性＞420μmol/L（7mg/dL），女性＞360μmol/L（6mg/dL）。处于高尿酸血症阶段的患者可能不会出现痛风性关节炎、痛风石、尿酸性肾病等症状，与常人无异，工作和生活均不受影响，又称为“无症状高尿酸血症”患者。尽管高尿酸血症患者随时可能发展为痛风，但大约有 66.7% 的高尿酸血症患者可终身不发生痛风性关节炎。

值得注意的是，无症状高尿酸血症也是多种代谢性紊乱、心血管疾病、慢性肾病等疾病的危险因素，它与多种不良结局关系密切。

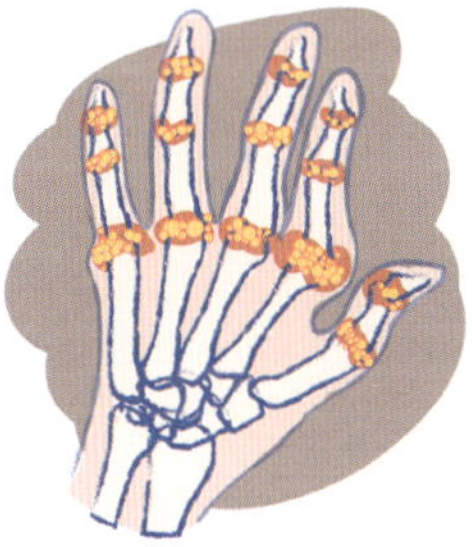

痛风石导致关节畸形

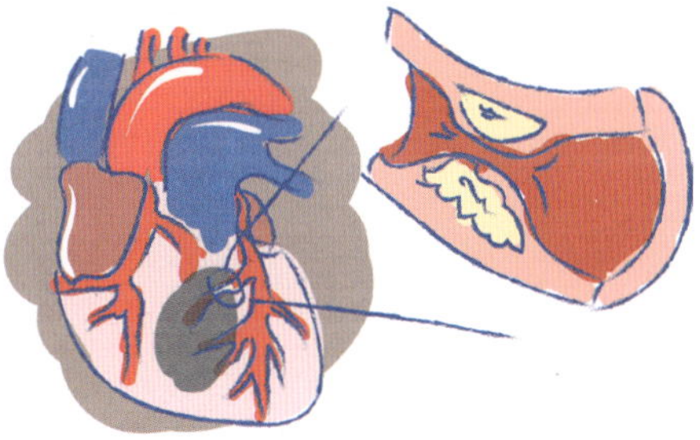

冠心病及动脉粥样硬化

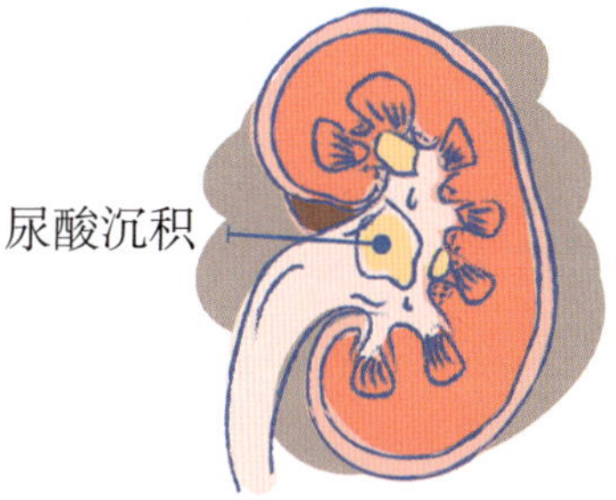

尿酸性肾结石

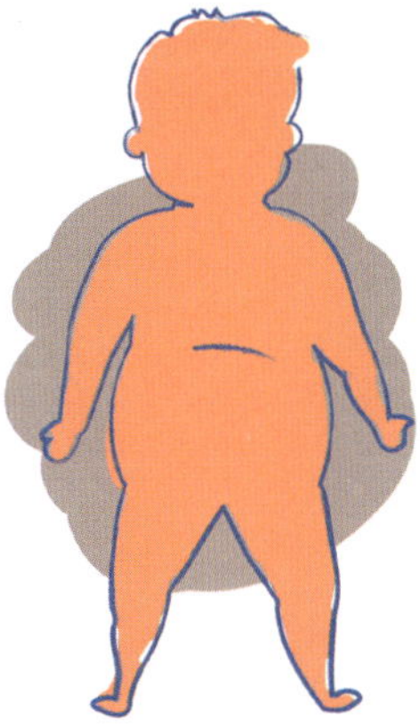

代谢综合征

高尿酸血症的危害

对无症状高尿酸血症进行治疗可能有以下好处：

1. 保护肾脏

2006 年，研究者萧睿邦进行了一项历时 1 年、纳入 51 人的随机对照试验，结果发现：别嘌醇治疗可以改善无症状高尿酸血症合并慢性肾病（CKD）患者的肾功能。也有其他研究表明，无症状高尿酸血症合并慢性肾病或者糖尿病肾病的患者，通过降尿酸治疗可以改善肾功能和提高肾小球滤过率但对尿蛋白没有影响。Kanbay 等人的随机对照试验发现，别嘌醇治疗可以改善单纯无症状高尿酸血症患者的血压，提高肾小球滤过率和 C 反应蛋白灵敏性，但是这些研究纳入人群较少，有待大型长期的临床研究证实。

2. 改善胰岛素抵抗

2015 年 Takir 等人的研究发现，别嘌醇可以改善胰岛素抵抗和系统性炎症。同年，中国学者刘鹏的研究发现，使用别嘌醇长期治疗可以改善高尿酸血症合并糖尿病患者的胰岛素抵抗。

3. 改善动脉硬化

刘鹏的研究发现，长期使用别嘌醇治疗可以减少颈动脉内膜厚度，延缓动脉硬化。另外一项关于别嘌醇临床试验的后续随访研究显示，使用别嘌醇长期治疗可以减少心血管事件的发生。但相关研究也较少，仍有待证实。

总的来说，尽管目前有少量研究显示降尿酸治疗可能带来好处，但目前临床证据尚不充分。特别是关于单纯高尿酸血症的治疗目前仅有 1 项研究，尚无关于预防糖尿病和心血管疾病的研究，仍有待一些大型多中心随机对照试验证明。

对无症状高尿酸血症进行治疗也存在风险。

俗话说：是药三分毒。降尿酸治疗也不例外。常见的降尿酸治疗药物主要分为两大类：第一类是抑制尿酸生成药物，如别嘌醇、非布司他等；第二类是促进尿酸排泄药物，如苯溴马隆、丙磺舒等。下面简单介绍这几种药物常见不良反应。

1. 别嘌醇

别嘌醇是一种竞争性黄嘌呤氧化酶抑制剂，是痛风治疗的一线药物。常见不良反应有胃肠道反应、肝功能损害、皮疹、骨髓抑制、超敏反应等，特别是超敏反应，亚洲人群比欧美人群更容易发生，主要是由于亚洲人 HLA-B*5801 携带者较多。因此，指南建议亚洲人群在用别嘌醇治疗前应常规进行 HLA-B*5801 基因检测。

2. 非布司他

非布司他是一种非竞争性黄嘌呤氧化酶抑制剂。常见不良反应有：肝功能异常、腹泻、头痛、皮疹等，其安全性相对较高，但价格也偏高。

3. 苯溴马隆

苯溴马隆是一种促尿酸排泄药物，主要作用于肝脏代谢，因此肝功能异常的患者发生不良反应风险相对增高。常见不良反应有：胃肠道症状、皮疹、肾绞痛、粒细胞减少、肝损害等。

4. 丙磺舒

丙磺舒是一种促尿酸排泄药物，常见不良反应有：胃肠道症状、皮疹、骨髓抑制、肝损害等。

总的来说，无症状高尿酸血症进行降尿酸治疗，同痛风一样，可能也会给患者带来药物不良反应。但是，不像痛风通过降尿酸治疗可以减少关节炎和痛风石的发生，无症状高尿素血症的降尿酸治疗是否能使患者获益缺乏证据。目前认为，无症状高尿酸血症如合并有心血管疾病等危险因素，推荐进行降尿酸治疗；或者当尿酸水平＞ 9mg/dL 时，推荐进行降尿酸治疗。

第十章　痛风应当怎么治疗？吃药还是手术

此处我们主要讨论痛风的治疗，单纯高尿酸血症不在本章的讨论范围内。

痛风的病程分为数个阶段，每个阶段的临床表现、累及器官不同，治疗方案也有所不同。但无论处于哪个阶段，非药物治疗都是不可或缺的，必须时刻牢记。

非药物治疗包括："管住嘴，多动腿"，控制体重，禁烟等。

常用的治疗药物有：

1 类：调节尿酸水平的药物

（1）黄嘌呤氧化酶抑制剂类。

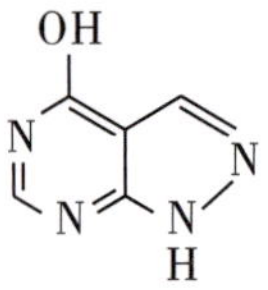

别嘌醇

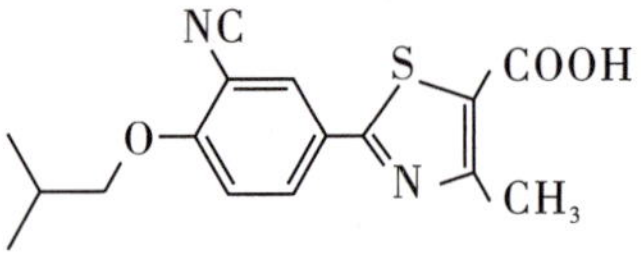

非布司他

（2）促尿酸排泄药物。

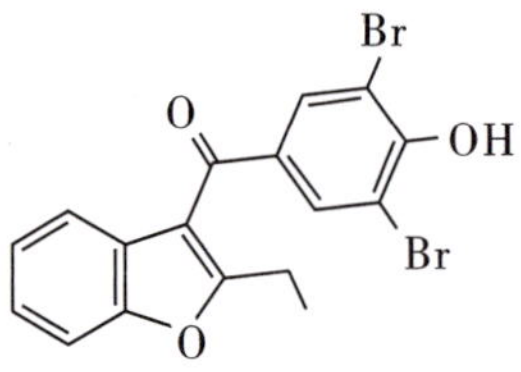

苯溴马隆

（3）普瑞凯希。

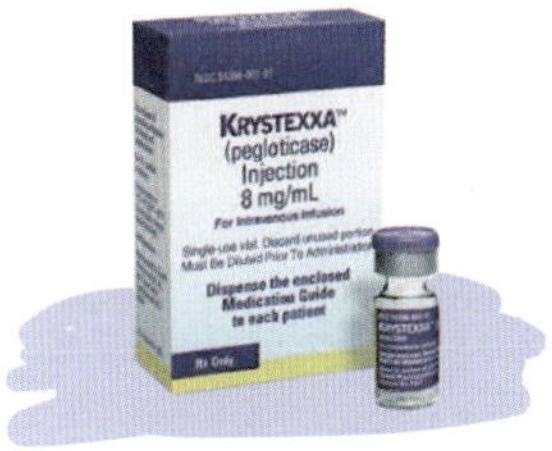

普瑞凯希

2 类：抗炎药物

（1）非甾体类抗炎药物。

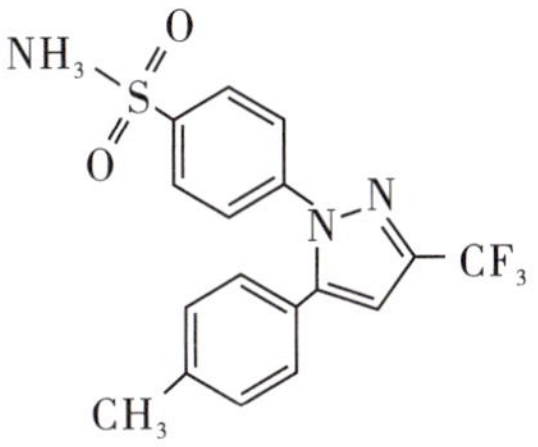

（2）秋水仙碱。

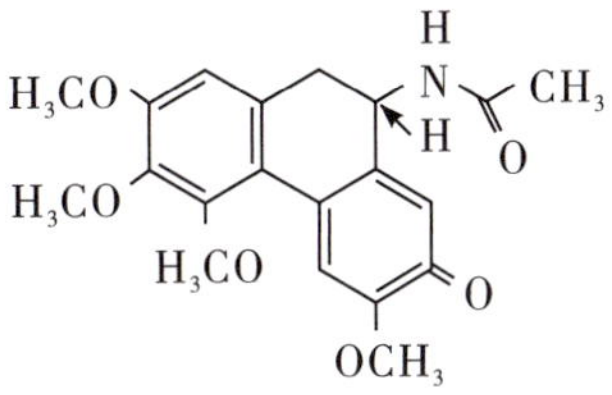

（3）糖皮质激素。

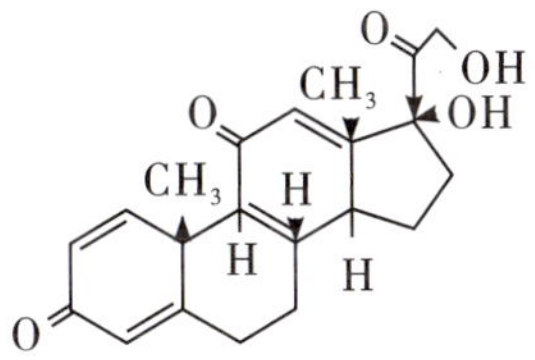

3 类：其他辅助用药

调节体内酸碱平衡药物：

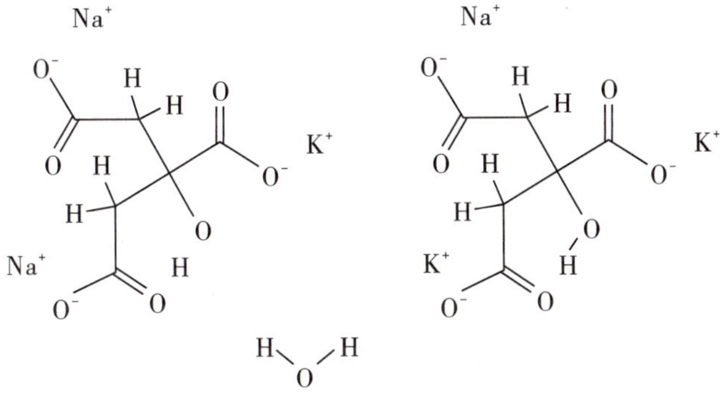

枸橼酸氢钾钠

药物治疗上，应根据不同时期进行选择：

1. 急性关节炎发作期

尽早进行抗炎止痛治疗，可选择的部分药物如下：

表 10–1 急性关节炎发作期的药物治疗

药物类别	药物举例	不良反应及注意事项
非甾体类抗炎药物	吲哚美辛、双氯芬酸、依托考昔、美洛昔康、塞来昔布等	胃肠道溃疡及出血的风险、心血管不良事件风险 活动性消化道溃疡禁用
秋水仙碱	秋水仙碱片	腹痛、腹泻等胃肠道症状 骨髓抑制，如血小板、白细胞降低，肝损害等。一般不良反应发生较少
糖皮质激素	甲泼尼龙、泼尼松等	小剂量、短期使用的不良反应较少

2. 发作间期、慢性期

预防和治疗痛风的关键是控制血尿酸水平。确诊痛风后血尿酸的控制目标要低于诊断标准：长期控制至＜ 360μmol/L，低于尿酸盐的饱和点，部分研究提示血尿酸＜ 300μmol/L 更有助于防止痛风反复发作。

降尿酸治疗的时机：急性症状缓解后开始降尿酸治疗；也可在急性期抗感染治疗的基础上立即开始降尿酸治疗。

降尿酸治疗以药物治疗为主，根据患者的病情及高尿酸血症的病因分析，药物的适应证、禁忌证及其注意事项等进行药物的选择和应用，主要通过抑制尿酸合成、促进尿酸排泄这两个机制进行治疗。

表 10-2　发作间期、慢性期的药物治疗

作用机制	药物	适用范围	不良反应及注意事项
抑制尿酸合成	非布司他	适用于痛风患者高尿酸血症的长期治疗； 可用于轻至中度肾功能不全患者	肝功能异常、恶心、关节痛、皮疹 禁忌证：禁用于正在接受硫唑嘌呤、巯嘌呤治疗的患者
	别嘌醇	慢性原发性或继发性痛风的治疗； 治疗伴有或不伴有痛风症状的尿酸性肾病； 反复发作性尿酸结石患者	胃肠道症状、皮疹、药物热、肝酶升高、骨髓抑制 禁忌证：对别嘌醇过敏，严重肝、肾功能不全和明显血细胞低下者，孕妇、哺乳期妇女禁用
增加尿酸排泄	苯溴马隆	原发性和继发性高尿酸血症，痛风性关节炎间歇期等	胃肠道症状、皮疹、肾绞痛、粒细胞减少、肝损害等 禁忌证：对该药过敏者、严重肾功能损害者、严重肾结石者、孕妇、哺乳期妇女禁用
	丙磺舒	高尿酸血症伴痛风性关节炎及痛风石	胃肠道症状、皮疹、骨髓抑制、肝损害等 禁忌证：对本品及磺胺类药过敏者，肾功能不全、伴有肿瘤的高尿酸血症、使用细胞毒类抗癌药、放射治疗的患者

注：①个别患者使用别嘌醇会发生严重的“别嘌醇超敏反应综合征”。已有研究证明别嘌醇相关的严重超敏反应与基因 HLA-B*5801 有关。建议在使用别嘌醇前进行 HLA-B*5801 检测。②增加尿酸排泄的药物是通过抑制尿酸盐在肾小管的主动再吸收来达到增加肾脏排泄尿酸的目的的，因此使用这类药物时要注意多饮水和使用碱化尿液的药物。

联合治疗：如果单药治疗不能使血尿酸控制达标，则可以考虑联合治疗，即抑制尿酸合成药物与促尿酸排泄药物联合。氯沙坦、非诺贝特等药物可以辅助降低痛风患者的尿酸水平。因此高血压患者伴血尿酸增高，应优先选择氯沙坦或氨氯地平降血压。高脂血症伴痛风患者可选用非诺贝特或阿托伐他汀。

降尿酸治疗需在血尿酸达标后持续使用，定期监测，经医生评估后方可停药。

手术治疗：

痛风患者需要手术治疗的情况主要有：

（1）皮下痛风石的清除、痛风石破溃导致的感染；

（2）痛风石沉积导致外周神经、脊髓神经压迫需手术解除压迫；

（3）痛风性关节炎导致的关节畸形。

上述问题应到相应外科就诊，如关节外科、普通外科、皮肤科、脊柱外科等科室。无论进行何种手术治疗，为了进一步防止关节、皮肤痛风石的继续发展，应将降尿酸治疗作为根本治疗。

附录　常见食物嘌呤含量

Ⅰ类食物　低嘌呤食物	
主食类	米（大米、玉米、小米、糯米等）、麦（大麦、小麦、燕麦、荞麦、麦片等）、面类制品（精白粉、富强粉、面条、玉米面、馒头、面包、饼干、蛋糕）、苏打饼干、淀粉、高粱、通心粉、马铃薯（土豆）、甘薯、山芋、冬粉、荸荠等
奶类	鲜奶、炼乳、奶酪、酸奶、麦乳精、奶粉、冰淇淋等
蔬菜类	白菜、卷心菜、莴苣菜（莴笋）、苋菜、雪里蕻、茼蒿菜、芹菜、芥菜叶、水瓮菜、韭菜、韭黄、番茄、茄子、瓜类（黄瓜、冬瓜、丝瓜、番瓜、胡瓜、苦瓜等）、萝卜（包括胡萝卜、萝卜干等）、甘蓝、葫芦、青椒、洋葱、葱、蒜、姜、木耳、榨菜、辣椒、泡菜、咸菜等
水果类	苹果、香蕉、红枣、黑枣、梨、芒果、橘子、橙、柠檬、莲雾、葡萄、石榴、桃、枇杷、菠萝、桃子、李子、金柑、西瓜、宝瓜、木瓜、乳香瓜、葡萄干、龙眼干
饮料	矿泉水、茶、咖啡、麦乳精、巧克力、可可、果冻等
其他	黄油小点心、番茄酱、花生酱、果酱、酱油、冬瓜糖、蜂蜜、油脂类（瓜子、植物油、黄油、奶油、杏仁、核桃、榛子）、薏苡仁、干果、糖、蜂蜜等
Ⅱ类食物　宜限量的中等嘌呤食物	
豆类及其制品	豆制品（豆腐、豆腐干、乳豆腐、豆奶、豆浆）、干豆类（绿豆、红豆、黑豆、蚕豆）、豆苗、黄豆芽
水产类	草鱼、鲤鱼、鳕鱼、比目鱼、鲈鱼、梭鱼、刀鱼、螃蟹、鳗鱼、鳝鱼、香螺、红鲙、鲍鱼、鱼丸、鱼翅
蔬菜类	菠菜、笋（冬笋、芦笋、笋干）、豆类（四季豆、青豆、菜豆、豇豆、豌豆）、海带、金针菇、银耳、蘑菇、九层塔、菜花、龙须菜
油脂类及其他	花生、腰果、芝麻、栗子、莲子、杏仁、碳酸饮料

（续上表）

Ⅲ类食物　禁忌的高嘌呤食物	
豆类及蔬菜类	紫菜、香菇等
肉类	肝（猪肝、牛肝、鸡肝、鸭肝、鹅肝）、肠（猪肠、牛肠、鸡肠、鸭肠、鹅肠）、心（猪心、牛心、鸡心、鸭心、鹅心）、肚与胃（猪肚、牛肚、鸡胃、鸭胃、鹅胃）、肾（猪肾、牛肾）、肺、脑、胰、肉脯、浓肉汁、肉汤等
水产类	鱼类（鱼皮、鱼卵、鱼干、沙丁鱼、凤尾鱼、鲭鱼、鲢鱼、乌鱼、鲨鱼、带鱼、吻仔鱼、海鳗、鳊鱼干、鲳鱼）、贝壳类（蛤蜊、牡蛎、蛤子、蚝、淡菜、干贝）、虾类（草虾、金钩虾、小虾、虾米）
其他	酵母粉、各种酒类（尤其是啤酒）